COLLECTION PAGE BLANCHE

ALAIN WAGNEUR
PIERRETTE FLEUTIAUX

La maison des voyages

PAGE BLANCHE / GALLIMARD

Chapitre premier

— Salaud !

Les trois jeunes gens tambourinent avec hargne sur le capot de la Lancia.

Pas un trait ne bouge sur le visage du conducteur. Profil dur, deux rides profondes sur le front, cheveux presque ras, à peine argentés sur les tempes, les mains à plat, immobiles sur le volant, le dos parfaitement droit contre le siège, il semble ne rien entendre et ne rien voir. Seule sa mâchoire s'est contractée.

L'homme avance légèrement le visage derrière le pare-brise, il plante son regard bleu et froid dans celui des trois garçons gesticulant devant le capot de la berline. Ceux-ci brusquement reculent, comme étonnés, renonçant même au vigoureux bras d'honneur dont ils s'apprêtaient à lui faire hommage.

La voiture démarre, glissant devant eux, les abandonnant sur le bord du fleuve de tôles mobiles. Se ressaisissant, ils dirigent leur dernier élan d'indignation vers l'adolescente assise à côté du conducteur.

– Pétasse ! crient-ils.

La jeune fille rougit et se rencogne au fond de son siège…

– T'aurais bien pu les prendre, dit-elle.

L'homme ne répond pas. Les trois garçons sont déjà loin.

– Papa !

Il y a deux points noirs en ce moment dans la vie du capitaine au long cours Michel Guévenec : les embouteillages et sa fille.

Les embouteillages parce qu'il a mis un peu plus de quatre heures pour faire trois cents kilomètres, sa fille parce qu'elle est insupportable.

Il ne répond pas.

Le capitaine est un homme à la patience légendaire. Sa voiture, c'est comme le porte-conteneurs de deux cents mètres de long qu'il commande. Il est au volant comme à la barre. Quoi qu'il arrive, il reste maître de lui-même et mène son monde à bon port, avec un minimum de paroles et la plus grande efficacité.

Il a donc enduré sans mot dire les ralentissements, les bouchons, les rétrécissements de la voie, les queues aux pompes des stations-service et la nourriture des Restoroute. Lui, l'homme des longues veilles sur la passerelle, l'homme des horizons sans fin et des tempêtes, il a tenu bon.

Mais là, c'en est trop.

La circulation devient plus dense. Peut-on encore parler de circulation lorsqu'on est bloqué parmi des dizaines de milliers de voitures agglomérées pare-chocs contre pare-chocs ? Impossible de se lever, de marcher à grands pas sur le pont, impossible de perdre son regard vers l'horizon. Il n'y a pas d'horizon, pas de pont. Y a-t-il même une route sous cette chaîne continue de véhicules de tous genres et de toutes marques ?

C'est simple, on n'avance plus. Sur la passerelle, le *chadburn* est sur la position « stop ». Machines à l'arrêt, le cargo sur roues est immobilisé parmi des milliers d'autres cargos sur roues.

– T'es pas sympa !

Voilà ce qu'aucun de ses hommes ne se permettrait de lui dire mais sa fille, elle, n'a pas de scrupules.

– Je m'ennuie, moi ! T'aurais pu les prendre, ça aurait été plus marrant...

– Quoi encore ?

– Tu dis jamais rien ! T'aimes pas les jeunes, tu ne me comprends pas... Je te déteste !

Sonia a quatorze ans. Il y a encore un an, elle ressemblait à un garçon manqué, maigre, plate, joyeuse de le suivre partout, au tennis, à la voile, au cercle des officiers de marine. Elle était son copain, son second, son petit mousse préféré. On lui avait pourtant prédit les pires difficultés. Comment allez-vous faire, hein ? Élever tout seul une petite fille alors que vous êtes toujours parti en mer, impossible ! On lui avait suggéré de se remarier, pour son bien à lui, pour son bien à elle. On lui avait conseillé de la mettre en pension, de renoncer à la mer ! Il avait tenu bon, comme dans les tempêtes...

Après l'enterrement, il avait emmené Sonia faire une sortie en mer. Et là, entre deux manœuvres, ils avaient parlé tous les deux, à égalité comme deux équipiers qu'ils étaient, gravement. Ils avaient parlé de leur chagrin, de celle qu'ils aimaient et qui n'était plus. Et puis ils avaient parlé de l'avenir, ils avaient pris leur décision, ensemble.

Sonia ne voulait pas aller en pension et il ne pouvait renoncer à la mer. On trouverait donc une personne de confiance pour s'occuper de l'enfant pendant les absences de son père. Elle resterait dans l'appartement parisien. Et quand elle s'ennuierait trop, quand l'absence se ferait trop lourde, alors elle n'aurait qu'à regarder par la fenêtre le port de plaisance de la Bastille et ses bateaux qui attendent, eux aussi...

Sonia avait alors six ans. Elle avait promis de se conduire comme une grande, comme un skipper à qui l'on peut faire confiance. Et elle avait tenu bon.

Son père lui téléphonait tous les soirs de tous les points du monde. Elle faisait le compte rendu de sa journée et il lui racontait la sienne, passée aux commandes de son bâtiment...

– C'est la honte de pas prendre les auto-stoppeurs ! Tu penses qu'à toi, tu méprises les jeunes...

A présent c'est une jeune fille. Elle ressemble de

plus en plus à sa mère et cette ressemblance brise le cœur du capitaine. Sa femme lui manque plus cruellement que jamais.

Lorsqu'il regarde Sonia, il a du mal à ne pas voir son épouse. Seulement, sur le joli visage frais, il n'y a pas le sourire qu'il aimait tant. Il n'y a pas le réconfort qu'il y trouvait toujours.

Une expression perpétuellement maussade, des reproches et aussi cette épouvantable allure. La maman de Sonia était gracieuse, élégante, Sonia ne porte que des jeans, de préférence déchirés, des croquenots de mineur de fond. Ses cheveux blonds pendouillent comme des oreilles de cocker et surtout rien, plus rien de ce qu'il lui propose ne l'intéresse.

« J'aurais peut-être dû prendre ces trois crétins », se dit-il.

Il revoit les tignasses mal peignées, les blousons bon marché, les sacs à dos... des mômes finalement. Leur première aventure peut-être. Une émotion inattendue le secoue, comme une lame de fond venue de très loin, une vague qui soulève l'étrave. Les embruns s'abattent, tout tangue. Ses yeux se brouillent.

Et, à travers cette brume salée, Michel Guévenec aperçoit là-bas, à quarante-cinq degrés est, une bretelle de sortie.

Ce n'est pas sa direction, le changement de cap ne s'impose pas. Mais son pouls s'est accéléré. Le panneau indicateur semble lui énoncer un ordre, aussi impératif que le signal d'un phare. En une seconde, sa décision est prise. Il se trouve alors sur la voie rapide de gauche, il reste une centaine de mètres pour traverser les trois voies et se rabattre vers la sortie.

– Ouvre la vitre et tends le bras, dit-il brusquement.

– Mais…

– Fais ce que je te dis !

La bretelle est surchargée elle aussi. Il va falloir manœuvrer aussi finement que lors de l'entrée dans l'estuaire de la Loire. Il met les feux clignotants, déporte la berline, le corps en alerte de nouveau, le regard aigu. Fini le brouillard. Michel Guévenec, capitaine au long cours, a retrouvé toute son autorité, sa détermination.

Il sait où il va.

La nuit est tombée. Michel Guévenec trace son chemin à travers un dédale de rues et de boulevards tous semblables.

– On s'est perdus, grogne Sonia. Je déteste les banlieues. C'est moche, c'est pas beau. Pourquoi on est là, où tu vas... ?

Il sourit. Pleine de compassion pour les jeunes auto-stoppeurs sans le sou, mais pas prête pour autant à descendre dans les quartiers où ils vivent !

Il répond posément.

– Tu oublies que je suis né dans la région, que j'y ai passé les vingt premières années de ma vie...

En cet instant, l'enfance de son père n'intéresse pas du tout la jeune Sonia.

– Il n'y a rien à voir, c'est partout pareil.

– Bien observé !

La gamine hausse les épaules.

– Tu fais que te moquer de moi.

– Pas du tout, ma chérie. Tu viens de mettre le doigt sur la difficulté de naviguer dans ces eaux. Les rues ont les mêmes noms. On quitte une avenue Gambetta pour retrouver une autre avenue Gambetta à moins que ce ne soit l'avenue Jean-Jaurès et il y a partout des bibliothèques Louis-Aragon et des collèges Youri-Gagarine.

– C'est ce que je disais ! On est perdus.

– Pas moi. Moi, je sais où je suis !

Là, il exagère un peu. Depuis vingt ans, ce coin d'Ile-de-France a bien changé. Mais en mêlant son sens de l'orientation (cap au Nord-Nord-Ouest au trois cent quarante), son intuition de vieux loup de mer et aussi la reconnaissance de quelques bâtiments épargnés par les bulldozers, il poursuit sa route sans trop d'erreurs.

La Lancia franchit la Seine, traverse une zone de terrains vagues, d'usines abandonnées et d'entrepôts désaffectés. Sonia frissonne.

– C'est sinistre, murmure-t-elle.

Le père entend la note de peur dans la voix de sa fille et il n'en est pas mécontent.

« Évidemment, ce n'est ni La Baule ni Nassau ! » manque-t-il de dire.

A La Baule, où elle faisait un stage de tennis, elle s'est ennuyée. De Nassau, où il l'avait envoyée pour une somptueuse croisière de vacances, elle a juste dit : « C'est nul ! Rien que des touristes... »

Mais cela fait des semaines qu'ils n'ont pas échangé autant de mots, alors... « Ma petite enfant, se dit-il, je n'ai rien compris ! »

– Je veux rentrer, se met à crier Sonia.

– C'est ce que je fais, dit-il tranquillement.

– Quoi ?...

– Oui, je rentre. Tu ne comprends peut-être pas, mais moi je rentre.

Et il lui jette un bref coup d'œil. Elle a le visage pâle, elle regarde fixement devant elle.

La route est défoncée. De l'herbe pousse entre les pavés. Ils franchissent sur un pont étroit une voie ferrée, puis d'autres encore sur des passages à niveau. A chaque fois la voiture fait un rebond brutal, des broussailles giflent la carrosserie. « Ma pauvre Lancia », pense le capitaine. Mais il s'en fiche un peu de sa voiture, en cet instant. Des rails partout, à perte de vue, luisant sous la lune, vaguement inquiétants.

– C'est la gare de triage, dit-il.

Sonia ne répond rien.

Il ralentit, s'arrête, éteint les phares.

Des nuages couvrent la lune, la nuit est noire. Pas une lueur alentour, pas un être vivant. Il ouvre la porte.

– Papa ! crie Sonia.

Il s'éloigne de quelques pas.

– Me laisse pas toute seule !

Il entend le sanglot dans la voix. Il hésite un instant.

– Mais viens, ma chérie. Rejoins-moi, je t'attends.

Elle sort et s'approche en trébuchant sur les traverses.

– Cela fait si longtemps, murmure-t-il.

Une rafale arrive par l'ouest. Ce n'est pas le vent des villes, contraint et contenu dans les couloirs étroits des rues. Ce n'est pas non plus celui des grands océans. C'est celui des terrains vagues et des parkings alentour des villes. Michel Guévenec le reconnaît. Il frissonne. Il se sent léger et très vide à la fois, libre et terriblement vulnérable. Désirs confus et inquiétudes sans nom, comme autrefois. Peut-être est-ce cela qu'éprouve Sonia en ce même instant. Il la prend par les épaules et, pour la première fois depuis longtemps, elle ne se dérobe pas.

La rafale a chassé les nuages qui masquaient la lune. Guévenec se retourne. Alors, il les voit sous la clarté blanchâtre. Eux, les grands trains à l'arrêt, rangés sur les voies de la gare de triage, semblables à des dragons assoupis.

– C'est par là.

Le père et la fille remontent dans la voiture. Ils passent de l'autre côté des voies. Les phares éclairent un talus herbu puis, soudain, une maison apparaît, une bâtisse isolée, en ruine.

– Nous y sommes.

Ce devait être une maison de cheminots, de celles qu'on voit parfois, plantées le long des voies, à l'approche des gares. Elles sont postées là, en contrebas du ballast, entourées d'un jardin potager patiemment entretenu. Mais celle-ci est abandonnée. Le jardin est envahi par les herbes, les groseilliers sont devenus buissons touffus, çà et là lutte encore le souvenir de parterres d'hortensias. Le lilas, lui, est toujours debout et ses grappes de fleurs se détachent, étrangement blanches et vivaces sur le fond de la nuit.

Guévenec pousse le portail de bois dégondé. Le sol est jonché de détritus, de bris de verre, d'ardoises tombées du toit.

Sonia le suit.

– Attention ! dit-il mécaniquement.

Un instant il a presque oublié sa fille. Son cœur bat sourdement.

Il monte les trois marches du perron. La porte est défoncée. Il pourrait la forcer d'un coup de pied, mais il n'en fait rien. Il prend son temps, pousse patiemment, très doucement, comme s'il s'agissait d'un être aimé très fragile.

Il pénètre dans ce qui était la salle à manger. Sur les murs, il y a encore des lambeaux du papier peint à grosses fleurs bleues. Et puis à droite… la chambre d'Annie.

Dans un long vacarme métallique, précédé d'un coup de Klaxon strident, un train passe à toute vitesse.

C'est sans doute le train des souvenirs et du temps qui passe car, soudain, le capitaine au long cours Michel Guévenec retrouve le garçon fluet et timide qu'il était. C'est le printemps, le printemps de ses quinze ans…

Chapitre deux

Ils étaient quatre, quatre copains du collège Berlioz à Villeneuve, quatre garçons de la classe de 3e moderne 2, fiérots et déconneurs, que l'approche du brevet, le terrible B.E.P.C. inquiétait quelque peu.

D'abord, il y avait Johnny Morrissot, grande asperge poussée trop vite et surmontée d'une tignasse incolore ennemie de tout peigne. Puis Alain Lambert, un petit brun à lunettes aussi rond que l'autre était filiforme, Eusébio Ménégon, le plus âgé des quatre, le dragueur du groupe et enfin, Michel Guévenec.

Ce jour-là s'annonçait sous les meilleurs auspices. Mme Joulain, la prof exécrée de mathématiques, avait eu la bonne idée de tomber malade. Résultat, les 3e moderne 2 (les 3 M 2 pour les initiés) coupaient aux deux heures de torture que représentait le cours de la « mère Joujou » et, du coup, ils n'avaient ni devoirs ni leçons à apprendre par cœur. Aux deux heures de congé inespérées, on pouvait ajouter deux autres heures économisées sur le fastidieux travail du soir.

C'était un bel après-midi de mars. Les vacances de Pâques n'étaient plus très loin. Les quatre garçons décidèrent de rentrer par le chemin des collégiens. Ils traversèrent les voies ferrées par le passage souterrain, rejoignirent les bords de Seine. Là, ils passèrent un peu de temps à regarder un pêcheur qui tentait de sortir de l'eau autre chose que les saloperies habituelles.

Le bonhomme n'était pas causant. Il n'aimait pas qu'on l'observe lorsqu'il se démenait contre les herbes flottantes, les bois morts, les vieux pneus...

Michel Guévenec proposa d'aller chez lui regarder la télévision (ses parents venaient d'acheter une télé couleur !). Johnny Morrissot voulait rentrer chercher un ballon et faire un foot sur le terrain de la cité des Alouettes. Eusébio Ménégon avait envie de rejoindre le Drugstore, le tout nouveau magasin du centre commercial. On pouvait y entendre les derniers disques sortis et puis, il y avait des filles qui passaient, comme eux, le temps à attendre. Elles se racontaient des trucs à voix basse en se poussant du coude au passage des garçons.

– Allez où vous voulez mais fichez le camp d'ici, maugréa le pêcheur qui venait de ferrer un cadre de bicyclette.

– On va voir les machines au dépôt ? proposa Alain Lambert.

Les trains le passionnaient. Il réussit à convaincre ses trois copains. Ils longèrent donc les voies en direction du dépôt des locomotives.

C'était un coin de Villeneuve qu'ils ne fréquentaient pas d'ordinaire. Ils se sentaient un peu dépaysés. A quelques mètres, les puissantes machines attendaient en silence que les mécaniciens les lancent à toute vitesse sur les voies en direction de Lyon, Marseille, la Suisse ou bien plus loin encore, l'Italie, la Yougoslavie, et même jusqu'à Istanbul avec le Trans-Orient-Express.

Un cheminot, une gitane maïs collée aux coins des lèvres, aperçut les quatre gamins et se sentit une soudaine vocation pédagogique. Il se mit à énumérer les machines, déclinant leurs performances.

– Celle-là, c'est une 2 D 2, puissante mais un peu dépassée techniquement. Et là, derrière, c'est la C.C. 7100, la détentrice du record du monde de vitesse sur rail : trois cent vingt km/h ! Ça vous épate, hein les petits gars !

En dehors d'Alain, les petits gars n'étaient pas épatés. Michel faisait semblant de s'intéresser. Il aimait bien Alain et se joignait parfois à lui pour jouer au train électrique même si ce n'était plus tout à fait de leur âge. Johnny Morrissot s'ennuyait. Les explications du bonhomme sur les distances parcourues, les vitesses atteintes, la « force au crochet », ressemblaient dangereusement à l'énoncé d'un problème de maths. Eusébio Ménégon s'intéressait surtout à la gitane et se demandait s'il oserait en demander une au cheminot.

– Hé ! Les gars ! fit-il soudain. Regardez là-bas ! Il y a une fille !

Là-bas, c'était une petite maison à un étage, isolée entre voies et fleuve, entourée d'un jardin tout fleuri au milieu duquel s'épanouissait un superbe lilas blanc.

A l'une des fenêtres du rez-de-jardin, on apercevait

un visage de quinze ans auréolé d'une opulente chevelure blonde qui brillait dans le soleil.

Eusébio était enthousiaste.

– Elle est vachement mignonne ! Celle-là, je la drague !

Et il se mit en marche en direction de la maison.

Les autres, d'abord indécis, le suivirent. On n'abandonne pas un copain dans une situation périlleuse, (pensez donc ! approcher une maison inconnue dans laquelle il y a une fille tout aussi inconnue). Alain Lambert, déchiré entre son sens de la solidarité et sa passion ferroviaire, traînait les pieds. Pour Michel Guévenec le rêveur, aller ici ou là, c'était tout comme.

Le cheminot s'aperçut que son auditoire avait disparu.

Déconcerté, il se retourna. Il comprit bien vite le sens général des événements. Alors il se mit à crier quelque chose, mais le passage brutal d'un train sur la voie toute proche emporta ses paroles.

Michel, qui s'était retourné, le vit figé, le bras à demi levé, comme en un geste d'avertissement. Sans savoir pourquoi, le garçon eut un frisson. Il eut presque envie de rappeler les autres.

Trop tard ! Cartable au dos, mains dans les poches, l'air de rien, ils s'approchaient de la maisonnette.

Elle était assise à la fenêtre. Elle semblait écrire.

– Encore une victime des devoirs, fit Johnny Morrissot qui n'aimait pas le collège.

– Ça prouve qu'elle n'a pas Joujou comme prof de maths. Sinon, elle aurait pas de devoirs à faire, remarqua Alain Lambert.

– De toute façon, elle est pas au collège. Tu l'as déjà vue, toi ? demanda Eusébio Ménégon.

– Non, répondit l'autre. Je l'ai jamais vue dans le coin.

Ils parlaient à voix basse, comme des conspirateurs.

La jeune fille avait un long visage fin à la peau très blanche, ses cheveux étaient tressés en couronne au-dessus de son visage, un friselis de mèches indisciplinées moussait tout autour. De temps à autre, elle repoussait l'une d'elles en un geste lent et très gracieux. Elle portait un corsage à large col de dentelle blanche et elle avait un air profondément absorbé.

Lambert avait raison, on ne l'avait jamais vue ni au

collège, ni dans les lieux fréquentés par les jeunes de Villeneuve. Peut-être se seraient-ils moqués d'elle si elle n'avait été si belle, si extraordinaire.

Elle semblait appartenir à un autre âge, à cette époque confuse et merveilleuse des vitraux d'églises, des enluminures et des romans de chevalerie. C'était une apparition, une de ces fées que l'on rencontre dans les textes du Moyen Age que les 3 M 2 avaient un peu étudiés en français.

Les garçons avaient ralenti le pas. Sans avoir vraiment pris la tête, Eusébio Ménégon se retrouva devant. Après tout, le dragueur, c'était lui !

Le dragueur avait perdu de son assurance. Il avançait le corps un peu de côté, comme un chien qui redoute un coup de pied assassin. Johnny Morrissot, qui avait la peau grêlée d'acné, baissait la tête et regrettait sa partie de foot contre les autres boutonneux de la cité. Alain Lambert commençait à mesurer l'étendue des mensonges télévisuels. A l'écran, les jolies filles vivent dans un monde où les garçons un peu trop gros, un peu trop myopes, n'existent pas.

Quant à Michel Guévenec… le ciel lui était tout simplement tombé sur la tête. Il se demandait si la sensation qu'il éprouvait était celle que sa mère décrivait lorsque, dans les interminables repas de famille, elle narrait la première rencontre avec celui qui allait devenir son mari : LE COUP DE FOUDRE.

Il découvrait que l'univers avait un centre et que ce centre était justement ici, à cette fenêtre où se tenait l'apparition, l'inconnue qui ressemblait à Guenièvre, la reine des chevaliers de la Table ronde.

La jeune fille leva la tête. Elle aperçut les quatre jeunes qui se dandinaient derrière la clôture du jardin. Les garçons s'attendaient au pire : un sarcasme mordant, un rire moqueur, ils sentaient qu'ils le méritaient.

– Bonjour, dit-elle.

Sa voix était claire et franche.

– Salut, s'enhardit Eusébio Ménégon.

– Salut, firent les trois autres en chœur.

Et comme ils avaient plein de trucs à faire et qu'elle ne les intéressait pas, mais alors pas du tout, ils poursuivirent leur chemin.

Allez savoir pourquoi, un jour on modifie ses habitudes pour en prendre de nouvelles. Durant des années on suit le même chemin pour rentrer du collège et puis, soudain, avec les copains, sans même se poser la question, voilà qu'on fait un large détour le long de la ligne de chemin de fer et on se retrouve à passer tous les après-midi vers cinq heures devant la même petite maison.

Ou encore on prend l'habitude à la même heure de la journée de se mettre à sa fenêtre et de regarder les (rares) passants.

Les quatre 3 M 2 passaient donc et la fille blonde levait la tête de ses devoirs. Elle disait « bonjour » et ils répondaient « salut »...

Après un assez grand nombre de passages, ils se firent des signes de la main...

Et puis il y eut un grand changement. Un soir, elle demanda si ça allait. Ça allait, répondirent-ils.

Encore quelques jours et ils finirent par s'arrêter. On pouvait toujours échanger quelques remarques sur la couleur du temps ou la longueur des devoirs.

Et puis, pour faciliter ces entretiens d'une profondeur abyssale, il parut nécessaire de se communiquer les noms.

Elle s'appelait Annie, eux c'était Johnny, Alain, Eusébio et Michel. Les garçons n'avaient pas l'habitude de s'appeler par leur prénom, ils se retrouvèrent comme inconnus à eux-mêmes. C'était solennel et, curieusement, plutôt agréable.

Quelques jours avant les vacances de Pâques, les bavardages à travers clôture et fenêtre s'étaient considérablement allongés et diversifiés.

C'est alors que quelqu'un d'autre apparut sur le perron. Quelqu'un, c'est-à-dire une femme.

Les garçons, saisis, la fixèrent, puis ils commencèrent à reculer. Johnny Morrissot, le plus trouillard, se mit à détaler, oubliant son cartable déposé contre le grillage.

– Ton harabe, ahana Alain Lambert sur ses talons.

Son poids, en plus de le mettre mal à l'aise face aux filles, lui était un sévère handicap physique. La moindre émotion, un effort trop poussé, lui faisait perdre souffle. Il avait parfois des crises d'asthme qu'il calmait à grands coups de Ventoline. Cela passerait après l'adolescence, avait dit le docteur.

– Ton harabe ! ton harabe ! s'époumonait-il.

Quel crétin ce Lambert ! Qu'avait-il à crier après les Arabes ? Soudain Johnny réalisa.

– Et merde ! fit-il.

Il était pâle de frayeur. Charles Martel, Poitiers, les croisades n'avaient rien à faire dans tout ça. Le malheur dont l'avertissait son copain asthmatique était bien plus grand. Il concernait sa boîte à outils de collégien, son unique viatique pour le monde redoutable de la connaissance : son cartable.

Rentrer à la maison sans cartable, c'était s'exposer à un tremblement de terre, au ciel qui vous tombe sur la tête, à des périls confus et effroyables comme il n'en arrive que dans les cauchemars. Il pila et se retourna.

Le gros Lambert, rouge, à bout de souffle et lancé à toute vitesse, le percuta brutalement. Le choc fut terrible. Les lunettes de Lambert valsèrent dans l'herbe. Johnny Morrissot, les oreilles bourdonnantes et la tête emplie d'étoiles, partit en arrière. Eusébio Ménégon et Michel Guévenec, déboulant dans cette déroute, les reçurent quasiment dans les bras. Il y eut un bref instant où le groupe, bizarrement soudé, tangua d'un côté à l'autre. Eusébio, le plus costaud, imposa le pivot de sa solide musculature. Ils se regardèrent ahuris.

– Z'avez vu le diable ou quoi ? demanda Eusébio Ménégon.

Oui, qu'avaient-ils vu au juste ?

Une dame, enfin une femme.

Une jolie femme en robe soyeuse largement échancrée sur les épaules. La mère de la jeune fille probablement. C'est cela justement qui les avait effrayés. Cette femme ne ressemblait pas à une mère.

Les mères, ils connaissaient. A eux quatre, cela faisait quatre mères, l'une naturellement côtoyée chaque jour, les trois autres fréquentées presque aussi régulièrement. Quatre mères, aimées certes, indispensables à la vie quotidienne, omniprésentes, mais invisibles ! Aucun n'aurait été capable d'en brosser un portrait un peu précis.

Mme Ménégon faisait à la maison la comptabilité de son entrepreneur de mari. Eusébio et les copains connaissaient d'elle une silhouette toujours penchée sur la machine à calculer et les registres.

Mme Lambert travaillait dans une entreprise textile. Lorsqu'il entendait l'autobus qui la ramenait le soir, Alain dévalait l'escalier de l'immeuble pour aller à sa rencontre. Sitôt la porte franchie, elle enfilait un tablier et demandait, dans l'ordre : « As-tu mis le couvert, as-tu fait tes devoirs, ton père est-il arrivé, tes sœurs sont-elles prêtes ? » Ces questions et les réponses à ces questions formaient l'essentiel de leurs échanges. Du moins est-ce l'impression qu'il en avait.

La mère de Johnny Morrissot, toujours vêtue de gris, de marron ou peut-être de noir, avait le grand mérite de disparaître dès que les copains apparaissaient.

Chez Michel Guévenec, fils unique, c'était un peu différent. Les deux parents s'appelaient l'un l'autre « chéri », « bibiche », « mon lapin » et cela, même devant les copains. C'était embarrassant et un peu ridicule. Mais ils étaient particulièrement serviables.

– Joujou nous a collé un de ces problèmes ! Impossible à faire, je vous assure, se plaignait Michel.

– Ne vous en faites pas, mes petits, j'appelle mon mari, disait Mme Guévenec. Lapin, viens vite ! Joujou a encore fait des siennes !

– J'arrive, ma biche, répondait le lapin.

La biche et le lapin, lunettes sur le nez, épaule contre épaule, s'enfonçaient dans les méandres de la trigonométrie et des expressions algébriques à développer ou à factoriser.

Plusieurs feuilles de brouillon plus tard un :

– Ça y est, je crois bien que j'ai trouvé ! suivi immédiatement d'un baiser sonore d'admiration, annonçait la fin des problèmes.

– Merci m'man, merci m'dame, disaient alors les garçons.

– Mais non, c'est mon mari, répondait Mme Guévenec, très fière de son époux.

Et voilà, rien d'autre à signaler. Les mères ? Des êtres utiles en somme, plutôt bonnards, mais bien peu remarquables.

Alors pourquoi étaient-ils là, coincés les uns contre les autres dans le chemin creux, à quelques mètres de la maison d'Annie, n'osant ni avancer ni reculer, figés, mal à l'aise, plus coupables que s'ils venaient de commettre un assassinat.

Le capitaine au long cours Michel Guévenec comprend bien à présent le trouble des quatre fiers-à-bras. Il pourrait même l'expliquer à Sonia l'indocile si celle-ci demandait des explications. Mais elle ne dit rien. Cette génération, mûrie plus vite, ignore peut-être la timidité, le doute. A moins que, passionnée par le récit de son père, Sonia ne désire qu'une chose : en connaître la suite. Incertain, le capitaine se borne à lui décrire les quatre adolescents, là, bloqués sur le chemin qui contourne le jardin.

Chapitre quatre

– Les mecs, on se tire, suppliait le petit Lambert.

Il s'efforçait de raccrocher sur son oreille l'une des branches de ses lunettes, faussée par la chute.

Et alors, sur le perron de la maison, éclata un grand rire, un rire velouté, roucouleur, pas moqueur du tout, un rire de surprise finalement.

– On n'a pas l'air crétin, tiens ! dit Michel Guévenec en se détachant du groupe et en rebroussant chemin.

Les autres suivirent.

Déjà la femme ouvrait le portail.

– Je suis Mme Fréville, la maman d'Annie, dit-elle en leur tendant la main.

Il y avait tant de grâce dans ce simple geste que Michel Guévenec se demanda s'il devait s'incliner comme il l'avait vu faire dans les films à la télévision. Le plus troublé était Eusébio Ménégon. Michel le surprit qui s'essuyait la main sur son blouson, à la dérobée, juste avant de la tendre à Mme Fréville.

– J'ai eu un peu peur, vous comprenez, expliquait cette dernière. Notre maison est terriblement isolée et mon mari est presque toujours absent.

Cette remarque les détendit. Ils n'avaient jamais pensé qu'ils pouvaient faire peur. Aucun ne réfléchit que Mme Fréville avait eu tout le loisir de les distinguer de vulgaires rôdeurs, depuis le temps qu'ils fréquentaient ce chemin le long des rails, à la même heure toujours...

– Je suis bien contente que vous soyez là. Cela met un peu d'animation, continuait-elle de sa voix veloutée qui s'éraillait par instant.

Michel leva les yeux vers la fenêtre. On ne voyait plus la jeune fille. Cela lui causa une telle inquiétude qu'il arriva à balbutier quelques mots.

– On parlait avec, avec...

Comment l'appeler? Mademoiselle votre fille? Il n'osait pas dire Annie. Il leva le menton en direction de la fenêtre.

– Annie, oui, dit Mme Fréville. Justement, je viens de faire une tarte. Voulez-vous la goûter avec elle?

Les quatre se consultèrent du regard. Pourquoi pas? Euh oui, pourquoi pas?

– Alors je vous emmène, dit-elle.

Elle se retourna dans un mouvement vif qui fit voler les plis de sa robe, mais elle ne fit pas un pas.

– Annie, pouvons-nous entrer? cria-t-elle vers l'intérieur de la maison.

Il y eut un instant de silence. Un pli de la robe s'était accroché sur le cartable de Johnny Morrissot, le fameux cartable qu'il avait récupéré près du portail et qu'il n'avait pas eu le temps de repasser à l'épaule. Johnny Morrissot regardait ce pan d'étoffe satinée posé comme un papillon sur son cartable. Eusébio Ménégon le regardait aussi. Ni l'un ni l'autre n'osait faire un geste pour le libérer.

C'était étrange, cette immobilité, ce silence.

« Elle ne veut pas qu'on vienne », pensa Michel Guévenec.

Mme Fréville, comme si elle avait deviné cette pensée, se tourna vers lui. Dans son regard il lut quelque chose d'énigmatique. Il repensa au regard qu'avait eu le cheminot, le premier jour, à la gare de triage. Cela ne dura qu'une seconde.

– Maman ? répondait-on dans la maison.

– Oui ?

– Je suis prête.

– Je vous montre le chemin, dit Mme Fréville et, comme Eusébio Ménégon se penchait enfin vers le cartable qui retenait la robe, elle heurta son épaule.

– Ouh, on a failli s'embrasser, fit-elle en riant et, lui saisissant le bras, elle l'entraîna dans le vestibule.

Johnny Morrissot suivit, la main toujours crochetée à son cartable, puis Alain Lambert, se retenant de souffler puis, en bout de procession, Michel Guévenec.

Ils allaient vers la chambre de la jeune fille et cela lui causait un vague malaise. Ce n'était pas le scénario de ses rêves. Ses parents, malgré leurs mamours perpétuels, étaient très conventionnels. Il était entendu qu'une rencontre avec une jeune fille ne pouvait se faire qu'au salon, au living-room, comme on disait. Tout cela était presque gênant.

Il avait peur surtout. Comme avant les compositions de mathématiques ou de français. La princesse aux cheveux d'or, la reine Guenièvre pour laquelle il lui semblait déjà avoir bataillé toute sa vie, comment le recevrait-elle? Serait-il à la hauteur? Et si elle allait se transformer en une vilaine sorcière ricanant dans son antre?

Mais, lorsqu'il aperçut Annie, assise à son bureau, il oublia sur-le-champ ses réticences.

Elle était aussi belle vue de près, sinon plus, mais cette beauté qui les avait presque effarés au début s'effaçait derrière l'expression du visage. Elle passait au second plan, cette beauté, on ne percevait plus qu'un regard direct, une voix franche, un air gai et grave à la fois.

Michel Guévenec se sentit à l'aise aussitôt.

– Salut, dit-elle. Mettez-vous où vous pouvez. Et toi, Lucette, tu ne restes pas, hein?

– T'appelles ta mère par son prénom? dit Eusébio Ménégon, reprenant de l'assurance.

– C'est ma mère, d'accord, dit Annie. Mais de temps en temps il faut que je lui rappelle que je ne suis pas que sa fille, que nous sommes à égalité, vous n'êtes pas d'accord?

Ils n'avaient jamais envisagé les choses sous cet angle.

– Moi, mon père, je l'appelle le vieux, crachota le petit Lambert qui n'était pas trop malin dans les discussions.

– Mais en ce cas, dit Annie, tu crées encore un rapport de supériorité, à ton profit cette fois.

– Ouais, il fait ça que quand il est pas là ! fit Johnny Morrissot, la grande asperge.

Eusébio Ménégon, incapable de rester assis, tournait en rond dans la pièce en roulant ses trop larges épaules. Michel Guévenec ne disait rien. Pour la première fois, il observait ses camarades comme de l'extérieur, il avait un peu honte pour eux, il avait envie de montrer qu'il était différent mais il ne savait comment, alors il fronçait les sourcils et s'obligeait à avoir l'air absent.

– Quelqu'un peut-il venir m'aider? cria Mme Fréville de la cuisine.

Trois garçons se précipitèrent, alléchés par l'odeur délicieuse qui venait jusqu'à eux, ou soulagés peut-être d'avoir quelque chose à faire.

– Eh bien, ils ont faim, ceux-là, s'exclama Annie.

– Ils sont comme ça, grommela Guévenec.

– Qu'est-ce que tu veux dire par là ? demanda la jeune fille.

Sa voix était sérieuse, demandait une réponse précise.

– Dès qu'il y a quelque chose à se mettre sous la dent, ils courent, dit-il, un peu honteux de dénigrer ses copains mais ne pouvant se retenir.

– Et toi, tu n'es pas comme ça?

– Je suis pareil, dit-il, j'essaie juste de pas le montrer. Je veux dire que je ne suis pas mieux qu'eux.

– Tu as raison de ne pas juger, dit la jeune fille du même ton calme et réfléchi. C'est tellement merveilleux d'avoir des copains.

– Tu n'as pas de copines, toi?

La jeune fille hésita un instant.

– Pas comme vous, pas comme vous quatre. Je vous envie, tu sais.

Jamais Michel n'avait parlé ainsi avec qui que ce soit, jamais personne ne lui avait parlé ainsi. Le code de conduite des garçons entre eux a ses règles, dont la première est de ne jamais avouer ses faiblesses. Dire des choses évidentes, tout simplement comme ça, c'était impensable dans sa vie de collégien. Il avait l'impression d'avoir eu la première vraie conversation de sa vie.

Le capitaine Guévenec, narrant cet épisode à sa fille Sonia, s'émeut de retrouver les phrases exactes de cette première entrevue. Il ne savait pas qu'elles étaient là, en lui, disponibles au premier appel du passé.

Une autre chose l'étonne. Sa fille parle et il comprend qu'enfin il a touché la corde juste. Sonia aussi trouve que la vie au collège est dure, c'est même un monde impitoyable (ses paroles), il faut toujours faire attention à ce qu'on dit, on ne peut pas s'habiller n'importe comment (« Tu ne t'en prives pourtant pas », pense son père), il y a les leaders et il y a les bouffons, si on n'est pas admis par ceux qui dominent, on n'existe pas.

« Naturellement, se dit le capitaine, ces choses-là ne changent pas, pourquoi l'avais-je oublié ? » Mais il ne dit rien, de crainte d'interrompre sa fille, de la voir à nouveau s'enfermer dans sa bouderie.

Sonia termine sa complainte, il reste songeur, plongé dans des pensées qui font en lui un remous presque douloureux.

– Et alors ? dit la jeune fille, qu'est-ce qui s'est passé ?

Chapitre cinq

Alors, le goûter avec Annie devint une habitude aussi.

L'arôme de la tarte aux pommes qui cuisait au four les accueillait dès la voie ferrée franchie. Puis c'était le parfum de Mme Fréville, « Heures Bleues », leur avait-elle dit. Elle leur ouvrait la porte de la chambre d'Annie et alors, c'était un effluve de violette mêlée à une odeur insaisissable, d'éther peut-être, mais ils ne cherchaient pas à savoir, ils se contentaient de humer toutes ces odeurs si différentes de celles de chez eux.

Mme Fréville apportait la tarte, du jus de fruit.

Ils se posaient par terre ou sur le lit, Annie était assise, ils restaient très peu de temps et ce temps passait comme dans un rêve.

Parfois, ils trouvaient Annie dans le jardin. Mme Fréville fumait une cigarette à bout doré. Elle pouvait se le permettre parce que, leur expliquait-elle :

– Nous sommes dehors. Il ne faut pas empester la chambre d'Annie.

Cela leur avait paru aller de soi. La jeune fille était sur le banc, eux dans l'herbe, Mme Fréville jouait du sécateur du côté des arbustes. Ils restaient peu de temps, et ce temps passait de la même façon, comme dans un rêve.

Un après-midi qu'ils goûtaient dans le jardin, Mme Fréville se leva en déclarant qu'elle avait envie d'un Martini.

– Vous en voulez un, les garçons ? demanda-t-elle.

Il y avait comme un défi dans sa voix.

De l'alcool ! Jamais un adulte ne les avait invités à boire de l'alcool. Peut-être un verre de champagne lors des grandes occasions, mariages, baptêmes, fêtes, mais cette invitation, c'était comme si on leur proposait un verre de strychnine !

– Je veux bien, répondit bravement Eusébio Ménégon.

Les autres se sentirent obligés de le suivre.

Mme Fréville, toujours virevoltante dans sa robe à fleurs, revint avec cinq verres emplis d'un liquide ambré.

Ils trinquèrent à la santé de tous et de chacun.

C'était sirupeux et amer. Ça donnait plutôt envie de tousser et ça soulevait un peu le cœur.

Bien vite on sentait rougir ses joues en même temps qu'une chaleur engourdissante vous envahissait la tête.

Michel Guévenec se demandait si c'était agréable ou si c'était infect. Et, si c'était agréable, n'était-ce pas dangereux? Tous avaient suivi des cours de sciences et d'hygiène où leurs maîtres leur avaient expliqué les méfaits de l'alcool. On leur avait décrit ces vies gâchées par l'alcoolisme, les mains qui tremblent, le foie qui gonfle démesurément, les crises de delirium tremens à plus ou moins longue échéance. Ils avaient écouté cela. N'étaient-ils pas maintenant au bord du précipice, glissant dans le gouffre sans même s'en rendre compte?

Eusebio Menegon, sans doute enhardi par le Martini, dit soudain :

– Annie, si tu veux, on pourrait aller ensemble au Drugstore. C'est chouette, on peut demander à écouter les derniers disques des Stones et des Beatles. Ils les passent sur leur chaîne stéréo, on n'est même pas obligés de les acheter.

Les trois autres étaient estomaqués par une telle audace.

Annie baissa les yeux, une ombre de tristesse sur le visage. Mme Fréville écrasa sa cigarette d'un geste nerveux.

– C'est gentil, dit enfin la jeune fille, c'est très gentil à vous...

– Alors, c'est d'accord? s'exclamèrent Johnny et Alain.

Michel ne dit rien. Il avait la tête lourde. Le fracas d'un train passant à toute vitesse lui rappela le cheminot, ses paroles inaudibles, son geste d'avertissement.

– Les garçons, dit soudain la maman d'Annie, je vois qu'il se fait tard. Il est l'heure de rentrer chez vous faire vos devoirs.

Elle les congédiait. Ce n'était pas dans ses habitudes. Quant à Annie, elle gardait un silence gêné.

Les quatre s'en allèrent, malheureux et troublés, ne sachant que penser du silence d'Annie et de l'énervement de Mme Fréville.

Chapitre six

Le soir, au dîner, le père d'Eusébio Ménégon s'emporta.

Il n'était pas content de son fils, de ses résultats scolaires, de son attitude à la maison, pas content de le voir rentrer si tard alors qu'on ne sait même pas où il traîne ! Si Eusébio passait son temps à fainéanter, c'était son affaire, mais il ne fallait pas espérer que lui, son père, continue à le nourrir à ne rien faire. Perdre son temps au centre commercial ne lui donnerait pas un métier. Lui, le père, avait commencé à travailler à douze ans et il ne s'en portait pas plus mal pour autant. Si l'école ne servait qu'à apporter de mauvaises fréquentations, il allait l'en retirer bien vite, règlement ou pas. Mme Ménégon approuvait.

La même scène, peu ou prou, s'était déroulée chez

les trois autres. Du coup ils avaient oublié le malaise provoqué par la proposition d'Eusébio d'emmener Annie au Drugstore.

Mme Lambert s'était longuement étendue sur le rôle des aînés dans les familles nombreuses.

– Je travaille, moi, avait-elle dit, je ne reste pas chez moi comme certaines. Si tu ne peux même pas mettre le couvert correctement, je ne vois pas à quoi ça sert d'aller à l'école. Et tes petites sœurs, hein, tu y penses? L'aîné doit donner le bon exemple, mais pour ça il faudrait déjà que tu rentres à l'heure. Et ne fais pas semblant de t'étouffer, cette histoire d'asthme, je vais finir par penser que c'est un prétexte.

Mme Morrissot s'était contentée de pleurnicher sans que Johnny puisse comprendre quelle en était la raison précise et, quand il s'en était enquis, son père lui avait allongé une taloche.

Michel Guévenec, lui, à peine rentré, avait vomi. Ses géniteurs, en voyant son état, en avaient oublié leurs mamours habituels. Ça faisait tout drôle et c'était inquiétant. Il s'était habitué finalement, à ces « bibiche », « lapin » et autres niaiseries. Ces mots qui volaient sans cesse par la maison étaient les garants de la vie quotidienne, la preuve que tout allait bien, que son monde était en place. La raideur nouvelle de ses parents l'avait saisi.

Sitôt le dîner fini, il s'était mis à ses devoirs, ne s'accordant même pas, comme il le faisait d'habitude, un moment de télévision.

– Je suis content de constater que tu es toujours sérieux au travail, avait dit son père d'une voix grave.

Et, au lieu d'y voir un compliment, Michel y avait senti une sourde menace.

– On dirait qu'ils se sont donné le mot, reconnurent-ils tous à la récréation du matin.

Eusébio Ménégon était stupéfait.

– Je sais pas ce qui a pris à mon père. Tout ça parce que je sentais le tabac ! En tout cas, je ne leur ai pas parlé d'Annie, ça, pas question !

Les autres non plus n'avaient pas parlé d'Annie. La maison en bordure des voies, le jardin, Annie, Mme Fréville, tout ça, c'était leur secret, leur vie privée. Cela ne regardait personne.

L'explication des colères parentales, c'était sans doute l'approche des examens, à moins que père ou mère n'aient deviné pour le verre de Martini. Concernant les bêtises de leurs enfants, les parents sont doués de divination.

Il ne fallait peut-être pas trop y faire attention. Les coups de tabac des parents, c'est comme les errements des professeurs : ça passe. Justement, Joujou et ses collègues étaient en plein délire. Devoirs à n'en plus finir, engueulades, sarcasmes, ils en avaient vraiment par-dessus la tête.

– On n'a même plus le temps de faire un foot, s'indignait Johnny Morrissot.

– Je fais que des exos, toujours des exos, gémissait Alain Lambert. Mes petites sœurs, elles regardent la télé, moi, je peux même plus jouer avec mes trains. Et attendez, c'est pas les exos du lendemain que je fais, c'est les exos de la veille que je dois refaire, alors, quand est-ce que je ferai les exos de demain, hein? Elle se le demande pas, ça, Joujou. Je vais m'user la santé, moi, à ce train-là.

– C'est vrai, ça, renchérit Johnny Morrissot. Le foot, le sport, c'est nécessaire à notre développement. C'est le prof de gym qui l'a dit, d'abord.

Eusébio Ménégon était le plus enragé.

Des quatre, il était celui qui avait le plus changé au cours de la dernière année. Il était obligé de se raser, déjà, et il avait tant forci des épaules qu'il avait fallu lui acheter un blouson neuf en cours de trimestre. Son idée fixe était le Drugstore du centre commercial. Là se trouvaient la musique, les filles, les attroupements de copains en Mobylette, la vie quoi. Il éprouvait un profond sentiment d'injustice.

– Mon père m'a menacé, privation de sorties jusqu'à la fin de l'année si mes notes sont mauvaises ! Lui et les profs, s'ils croient qu'ils vont me garder enfermé, ils se fourrent le doigt dans l'œil. Je me sauverai, dit-il d'un air sombre et déterminé.

Le reste de la journée se passa malgré tout sans trop de mal. Ils oublièrent leurs malheurs.

Et, à la sortie des cours, sans même y réfléchir, se suivant l'un l'autre, ils prirent commme d'habitude le chemin qui longeait la gare de triage.

Seul Eusébio Ménégon avait l'air soucieux.

– Quand même, dit-il en s'arrêtant soudain, on ferait peut-être mieux de ne pas y aller ce soir.

– T'as dit que tu voulais pas rester enfermé, dit Alain Lambert.

– T'as dit que tu te sauverais, ajouta Johnny Morrissot.

– C'est pas ça ! Hier, Annie et sa mère faisaient une drôle de tête !

– Dis plutôt que t'as la trouille de sortir avec une fille ! fit Johnny Morrissot, pas mécontent de voir ce frimeur d'Eusébio prêt à se dégonfler.

Ces derniers mots fouettèrent Eusébio Ménégon. Michel, lui, ne disait rien. Il revoyait la main écrasant la cigarette dans le cendrier, un geste nerveux, presque un geste de rage.

– Vous allez voir si j'ai la trouille ! Ce soir, je vous parie que je sors avec Annie !

Et Eusébio prit la tête de la marche.

Annie était dans le jardin, mais pas sur le banc cette fois. Elle les attendait au portail, assise sur un drôle de fauteuil, les jambes recouvertes d'un grand châle indien, malgré le soleil de printemps. Mme Fréville n'était pas en vue.

– Pour hier... dit-elle.

– Oui ? dit Eusébio, qui sut tout de suite à quoi elle faisait allusion.

– Je ne voulais pas vous vexer, dit-elle.

– Quand même… dit Eusébio.

Il avait été vexé, oui. Il s'était vu déambuler à côté de cette fille si belle, si différente, passant devant les autres garçons, les flambards habituels juchés sur leur Mobylette à l'arrêt, guettant leur regard stupéfait du coin de l'œil, roulant ses grandes épaules… S'adressant à la disquaire, il aurait dit, très sûr de lui :

– Est-ce qu'on peut écouter *Jumpin'Jack flash*?

Et elle leur aurait passé le disque des Rolling Stones.

– Je ne peux pas, dit Annie, je ne peux pas aller au Drugstore avec vous.

Son visage si fin était tout plissé.

– C'est ta mère qui veut pas? dit Alain Lambert, le pas trop subtil.

Mme Fréville? Mme Fréville qui leur parlait comme s'ils étaient des adultes et qui leur avait offert un Martini? C'était impossible.

Michel Guévenec ne pouvait pas regarder Annie. Un pressentiment lui serrait le cœur, comme dans ces moments lourds qui précèdent l'orage. Il leva les yeux et aperçut un coin de rideau qui se soulevait à la fenêtre de la maison. Mme Fréville les regardait, elle ne souriait pas.

Annie aussi vit sa mère, soudain elle retira le grand châle et leur désigna de la main le fauteuil sur lequel elle était assise.

Ah ! les ânes, les crétins, les ignares ! Chacun dans sa tête se traitait de tous les noms. Quoi ! depuis le temps qu'ils venaient dans cette maison, ils ne s'étaient pas étonnés de voir Annie TOUJOURS ASSISE, à sa fenêtre, dans sa chambre, dans le salon au papier peint de fleurs bleues ou sur le banc dans le jardin ? Toujours déjà assise quand ils arrivaient, et c'était sa mère qui les accueillait, jamais la jeune fille. Était-il possible d'être aussi peu curieux des autres, aussi peu attentif ?

Ils n'avaient rien remarqué.

Et maintenant, pétrifiés, ils regardaient le fauteuil, ses montants nickelés et ses roues dévoilés par le grand châle indien. Comment avaient-ils pu être aussi aveugles ?

Leur copine, la blonde Annie, était paralysée et ils ne s'en étaient même pas aperçus !

Chapitre sept

Le prof de sciences-nat, Biétrix-os-de-seiche, faisait son cours sur le squelette des félidés.

– Madame ! Excusez-moi... C'est quoi, la myopathie ?

Biétrix leva les yeux de son document.

– Guévenec ! Qu'est-ce qui vous prend ? Nous en sommes aux félidés, Guévenec. Les félidés, vous savez ? Les chats, les lynx...

– Je sais madame, mais...

– C'est une maladie. Une dégénérescence des muscles. D'abord ceux des membres, ensuite les muscles de la cage thoracique, le cœur enfin.

– Et... on en meurt ?

– Évidemment, ne soyez pas stupide, Guévenec ! Bon, ça y est ? J'ai répondu à votre question ? Donc, je disais, les os du membre postérieur du chat. On retrouve comme chez les autres mammifères...

Toute à son programme et au niveau des élèves qui ne cesse de baisser, Biétrix-os-de-seiche (ainsi surnommée à cause de sa silhouette osseuse et de la sécheresse de son caractère), poursuivait son cours. Au fond de la classe, quatre garçons, bouleversés, ne l'écoutaient plus.

Les 3 M 2 faisaient leur cartable.

– Venez ici, Guévenec. Je voudrais vous parler.

Michel rejoignit le bureau de la prof.

Alors que les élèves sortaient dans la bousculade et le brouhaha habituel aux fins de cours, Biétrix compléta le cahier de texte, prépara le matériel pour la leçon suivante. Michel attendait, inquiet. Qu'allait-il lui arriver? Une heure de colle était toujours possible de la part d'Os-de-seiche.

– Guévenec, tout à l'heure, j'ai été un peu... rude avec vous...

Biétrix, embarrassée, s'essuyait les mains sur le pan de sa blouse blanche.

– Sans doute ai-je été maladroite et je vous prie de

m'excuser. Quelqu'un de votre famille est atteint par cette maladie ?

– Euh non... c'est une amie, madame. Hier elle nous... elle m'a expliqué qu'elle était myopathe. Je savais pas ce que ça voulait dire... C'est pour ça que...

– Vous avez bien fait, Guévenec. Vous avez mieux fait que moi qui vous ai répondu si sèchement. C'est une terrible maladie, mon petit Michel, mais son évolution peut être lente, très lente même, des années... J'espère vous avoir transmis ma confiance en la science et en ceux qui la font. Il y a des savants qui travaillent, qui cherchent à comprendre ces maladies. On ne sait pas encore beaucoup de choses, mais on cherche, Guévenec, on cherche. Et un jour, peut-être plus proche qu'on ne le croit, on finira par savoir, et ainsi on pourra soigner. Rappelez-vous, Pasteur, Fleming... Vous voyez, Michel, pour votre amie, il ne faut pas perdre espoir, n'est ce pas...

– Oui, madame... Je vous remercie.

– Travaillez votre composition sur les mammifères, Guévenec. Le B.E.P.C. approche et puis aussi les passages en seconde...

– Oui, madame.

– Vous savez que nous comptons sur vous. Vous êtes le seul dans la 3 M 2. Vos copains, vous savez qui je veux dire, ce sont de bons garçons mais enfin, ils n'iront pas bien loin. Vous, vous avez les capacités…

Chapitre huit

– Comment tu fais pour l'école ? Tu vas jamais en classe ? demanda le lendemain l'un des garçons.

– Je suis des cours par correspondance. Je reçois des leçons et des devoirs par la poste. Après, je dois les envoyer et on me renvoie les corrections. Mais je ne les fais pas, ça m'ennuie.

– Ah la chance ! Pas de Joujou ni de Biétrix-os-de-seiche ! s'exclama Eusébio Ménégon.

– Pas de théorème de Thalès ni de rédac, le pot ! s'écrièrent Alain Lambert et Johnny Morrissot.

– Et comment tu feras plus tard si t'as pas le brevet ? s'inquiéta Michel.

Annie eut un petit sourire.

– Moi, tu sais, plus tard…

Michel se mordit la lèvre. Il avait envie de pleurer.

Mais Annie ne parlait jamais de sa maladie. Ils finirent presque par l'oublier.

Elle aimait les trains. Les wagons, les locomotives, elle les appelait ses grands frères.

– Ils sont sur roues comme moi. Sauf qu'eux, ils sont robustes et puissants. Ils se déplacent...

Ses seuls voyages, c'était de la chambre du rez-de-chaussée au salon, du salon à la cuisine, et retour. Parfois, lorsque le temps était suffisamment chaud pour calmer les inquiétudes de sa mère, elle sortait dans le jardin en utilisant la rampe que son père avait construite à côté des trois marches du perron.

Et, même avec cette rampe, c'était toute une affaire, une suite de manœuvres fastidieuses et délicates.

Annie aimait les trains qui passaient devant chez elle à toute vitesse et disparaissaient au loin, emportant ses rêves de voyage...

Avec le temps, la solidarité cheminote avait appris aux mécaniciens l'existence, en bordure de la gare de Villeneuve, d'une enfant immobile. Aussi avaient-ils pris l'habitude, en passant devant la maison, de saluer Annie d'un coup de sifflet.

Et elle les connaissait tous, ses grands frères d'acier. Les garçons ne s'étonnaient plus lorsque, en pleine discussion, elle les interrompait pour annoncer le départ du Paris-Vintimille de nuit ou le passage du Milan-Genève-Paris ou encore le retard du Paris-Clermont-Ferrand-Béziers.

Mais de tous les trains, celui qu'elle préférait, c'était celui qui partait de la gare de Lyon à six heures du soir pour arriver à huit heures du matin à Marseille.

Michel Guévenec était jaloux de ce train, à qui Annie confiait ses rêves.

– Moi, dit Eusébio, je préfère le Paris-Rome. Je l'ai déjà pris pour aller en vacances dans ma famille en Italie. C'est chouette. On prend des couchettes. Moi, je me mets sur celle du haut. On peut se cacher. Personne ne te voit dans le petit coin prévu pour les valises...

– Ouaf, ouaf, t'es trop maousse pour te mettre là, s'esclaffèrent Alain et Johnny.

– Eusébio est très grand, c'est vrai, mais il est souple aussi, fit remarquer la jeune fille.

Annie était vraiment différente. Elle parlait comme les adultes et elle n'avait pas honte d'être gentille.

– Je pourrais te porter, si tu voulais, je suis fort, dit Eusébio, s'étonnant lui-même de ses paroles.

– Raconte le Paris-Marseille, interrompit brusquement Michel.

Annie lui adressa un beau sourire.

– Paris-Marseille par le train de nuit, j'en ai tellement rêvé que je peux tout te décrire en détail.

– Vas-y, je veux y aller aussi, dit Michel.

C'était lui, désormais, le spécialiste des trains. Les maquettes d'Alain Lambert, les longues soirées à faire pin-pon avec lui autour de la table de la cuisine, c'était fini. Des jeux de môme, relégués dans un passé qui paraissait si loin...

– Bon. Alors, je monte dans le grand wagon de la compagnie internationale des wagons-lits. Le conducteur en uniforme m'indique ma cabine. Je ferme la porte, je suis chez moi, c'est minuscule, mais il y a tout ce qu'il faut, un petit lavabo en croissant de lune avec des robinets dorés, sur la tablette, une savonnette parfumée de la Compagnie, il y a une taie d'oreiller marquée CIWL, des rideaux à la fenêtre. « Voie numéro huit, le train rapide à destination de Sens, Laroche-Migennes, Dijon, Chalon-sur-Saône,

Lyon, Valence, Orange, Avignon, Marseille, va partir. Fermez les portières s'il vous plaît. Attention, attention au départ! »

– Attention, attention au départ! beuglèrent les garçons.

Ils s'y croyaient vraiment, tout à coup.

– Et alors, le train s'ébranle doucement. Ça doit faire une impression extraordinaire, comme si les roues faisaient partie de ton corps, ça va de plus en plus vite...

– Tcheu, tcheu! firent les garçons en sourdine, accompagnant ses paroles, tchtchtchtch...

– Et voilà, c'est parti. Moi, je ferme les yeux tout de suite, fini les nuages et la pluie, dès qu'on aura dépassé Orange, tout sera couleur de fruit, coloré et lumineux. Je m'endors, je rêve à la mer, aux paquebots, aux cargos qui vont en Afrique, en Asie... Et le matin, en me réveillant, tout est là pour de bon. Il y a la Méditerranée, le port, les grues, les gens sur les quais qui embarquent pour la traversée. Ce n'est plus un rêve, c'est la réalité.

– Y a les dockers aussi, dit Eusébio. Un oncle de ma mère, il était docker. On a des photos. Elle dit que je pourrais faire ça, si je rate mon B.E.P.C.

Ils se taisent un instant pour contempler l'admirable paysage.

– Marseille, quel nom fantastique, reprit Annie. Aussi loin que la planète Mars... Maaaaarseille... Et ça se finit comme soleil.

Annie avait de drôles d'idées sur la géographie, l'histoire, les sciences... Une suite de contes plus ou moins fantaisistes, avec parfois des détails d'une extraordinaire précision et des connaissances que les garçons, eux, n'avaient pas du tout.

– Conrad, il s'est engagé comme mousse sur un cargo à dix-sept ans, vous imaginez ! Je n'ai pas encore tout lu, mais ce que je préfère, c'est *Typhon*. Tout le monde prenait le capitaine pour un incapable, mais dans l'épreuve il s'est révélé un grand capitaine.

Annie regardait son fauteuil roulant d'un air pensif. A ce moment-là, Michel était presque sûr de deviner ses pensées.

Conrad, ils ne savaient pas trop qui c'était, mais puisque c'était Annie qui en parlait, ça ne gênait pas. Seul, Michel irait à la bibliothèque...

– Vous voulez voir, dit soudain Annie. Il y a un

cheminot qui m'a ramené une vareuse et un béret à pompon. Maman...

Lorsqu'ils revinrent dans la chambre, ils trouvèrent à la place de leur copine un jeune marin moulé dans un pull blanc, un béret crânement vissé sur les nattes. Eusébio en eut le souffle coupé. Il regardait la poitrine du marin, il n'avait jamais vraiment remarqué, il aurait donné cher pour...

– Vous pouvez l'essayer, si vous voulez, dit Annie.

Et elle enleva le pull, comme ça, devant eux, tendant simplement la main pour que Michel lui passe son corsage habituel, pour qu'il l'aide à l'enfiler.

Annie... Elle ne ressemblait à aucune fille au monde, aucune.

Chapitre neuf

– Annie, elle est pénible ! Depuis qu'on la voit, on joue même plus au foot. Pas une seule partie. Les copains de la cité m'adressent plus la parole.

– Comme elle est toujours assise, on peut même pas lui peloter les fesses ! L'autre jour, au Drugstore, j'ai dragué une vendeuse. C'était sensass ! On y retourne ?

– C'est long ce chemin. Moi, des fois, j'aimerais bien en avoir un, un fauteuil à roulettes.

Le quatrième hausse les épaules et ne dit rien.

De toute façon ils fanfaronnent et chacun le sait.

Depuis qu'il a rencontré Annie, Michel n'est plus le même. Comme s'il était le détenteur d'un trésor invisible aux autres, le chargé d'une mission connue de lui seul. Pour la première fois, il se sent exister pour quelqu'un, quelqu'un d'autre que son père ou sa mère.

Sur le petit chemin de terre bordant la voie de chemin de fer, il comprend ce que veut dire cette expression qu'emploient parfois ses parents avec gravité : « Avoir quelqu'un dans sa vie ».

Oui, c'est certainement ça. Lui, Michel, a quelqu'un dans sa vie. Et ce sentiment n'a pas de prix.

Chapitre dix

– Les garçons, dimanche en huit, nous fêterons les quinze ans d'Annie. Venez. S'il fait beau, nous sortirons pour goûter dans le jardin et je vous ferai boire du champagne, même à vous, Alain !

Avec la mère d'Annie, tout semblait facile. Elle oubliait qu'il leur faudrait obtenir la permission de leurs parents… ou ruser.

Un dimanche, ce n'était pas comme après l'école. Mme Fréville ne semblait pas le savoir. Quand ils étaient dans la petite maison derrière la gare de triage, ils se sentaient comme des atomes échappés aux lois qui régissent le monde, ils se sentaient libres, indépendants, adultes.

Mais le dimanche, c'était le jour réservé à la famille, à ses repas interminables et aux visites ennuyeuses chez les tantes, oncles, grands-parents ou amis.

– Jamais ils voudront, dit Eusébio. Déjà qu'ils sont pas contents que je rentre pas directement tous les soirs. Ils disent qu'ils m'attendent au bulletin du second trimestre.

Car toute l'affaire était venue au jour, finalement. Les parents avaient fini par découvrir ce que cachaient les retours tardifs de leurs rejetons. Leurs cachotteries révélées, les garçons s'étaient attendus à de fortes représailles. Curieusement il n'y en avait pas eu. Le silence avait accueilli la révélation, différent dans les quatre maisons, mais pareillement déroutant pour les garçons.

M. et Mme Guévenec, si facilement prolixes, s'étaient contentés de hocher la tête. Mme Lambert avait un peu moins harcelé son aîné, M. Ménégon s'était montré presque timide devant son fils et, chez Johnny, rien ne s'était produit, rien du tout. A peine leur avait-on reproché d'avoir tenu si longtemps secrète leur rencontre avec Annie.

Peut-être les parents étaient-ils inquiets. Peut-être craignaient-ils que cette nouvelle amitié ne détourne les garçons de leur travail.

Pourtant, leurs notes s'étaient améliorées. C'est qu'Annie les avait mis dans une situation inattendue.

Malgré leurs discours râleurs, ils étaient plutôt dociles. Jamais ils n'auraient remis en question leurs obligations scolaires. Les devoirs sont une corvée, on s'en débarrasse à la va-vite, plutôt mal que bien, mais on les fait.

Annie avait une autre méthode. Si un sujet l'intéressait, elle s'y donnait tout entière, y passant les nuits s'il le fallait. Elle savait une foule de choses sur les vents solaires, l'origine des oranges, le Transsibérien, la vie de Joseph Conrad et les sensations des fœtus, toutes choses qui ne sont pas exactement au programme. Quant à faire un commentaire d'une fable de La Fontaine ou s'attacher étape par étape au développement d'une équation, il ne fallait pas y compter.

Les garçons s'en trouvaient tout désemparés. Confrontés à la fantaisie de leur amie, ils étaient insensiblement devenus de sourcilleux tuteurs.

– C'est pourtant pas si difficile, les équations, disait le petit Lambert.

– Cette fable, tu rigoles, un môme pourrait la faire,

faisait Johnny Morrissot, qui passait pourtant pour le cancre des 3 M 2.

Eusébio Ménégon était encore plus sévère :

– Tu vas pas avoir ton brevet, ma vieille, la sermonnait-il.

Il en avait même parlé à Mme Fréville, qu'il rejoignait souvent à la cuisine ou au jardin, se proposant de l'aider à tailler un arbuste, à planter une fleur, à bricoler une prise de courant.

– Laissez faire, c'est des travaux d'homme, disait-il.

Finalement, il passait presque tout son temps en sa compagnie.

– Mon père serait peut-être jaloux, mais moi, je trouve ça normal, ma mère a besoin qu'on s'occupe d'elle aussi, expliqua Annie aux autres qui en restèrent comme trois ronds de flan. Eusébio, c'est un sourire dans sa vie, fit-elle très sérieusement.

C'était le genre de choses que pouvait dire Annie, et ça passait sur eux comme un vent venu d'ailleurs, un vent qui les faisait frissonner un instant. Ils s'ébrouaient et il n'en restait plus trace.

Eusébio parlait avec Mme Fréville dans la cuisine, pendant qu'elle préparait la tarte de leur goûter.

La chaleur qui irradiait du four, l'odeur de la pâte qui levait, cette jolie femme accoudée à table et qui l'écoutait attentivement, lui, lui tout seul, cela le grisait.

– L'école, quand même, c'est important, disait-il trop fort, de sa grosse voix rauque qu'il ne contrôlait pas bien.

– Dites-le-lui, vous, mon petit Eusébio, moi je ne peux pas. Je n'ai pas d'autorité sur elle, nous sommes à égalité, vous comprenez. Je la trouve même plus sage que moi, des fois. Mais vous, vous saurez comment faire, j'en suis sûre.

Et en effet, ils avaient trouvé comment faire. Chacun selon ses compétences et sa vaillance du moment. En s'évertuant à lui montrer à quel point le répugnant devoir était facile, ils le faisaient. Sans même s'en rendre compte. Et Michel, qui avait appris à imiter son écriture, recopiait pour elle. Lorsque les notes arrivaient par la poste, ils étaient plus impatients de les connaître que celles de leurs propres devoirs.

Tout ceci avait sensiblement relevé le niveau de leurs résultats mais, comme leurs exigences s'étaient accrues d'autant, ils ne s'en apercevaient pas.

La maison derrière la gare, son jardin, Annie, sa mère, prenaient de plus en plus d'importance dans la vie des garçons et de plus en plus de place dans les discussions familiales.

Les parents s'étaient divisés en deux camps, ceux qui secrètement étaient fiers de la nouvelle amitié de leur enfant et ceux qui, pour d'obscures raisons, en étaient blessés. Michel avait d'emblée classé ses parents dans la première catégorie. Mais il arrivait qu'ils passent dans la seconde, et les mêmes fluctuations subtiles opéraient certainement aussi chez les autres.

En surface, leur attitude était la même.

Tous trouvaient Mme Fréville très gentille. Les mères admiraient son dévouement, plaignaient son malheur, mais se tenaient à distance. Il ne leur serait pas venu à l'idée de lui rendre visite. Peut-être désapprouvaient-elles les cigarettes à bout doré, les Martini.

– Je crois que ma mère, elle est jalouse, dit un jour Eusébio Ménégon.

– De qui ? jeta Michel, trop vivement.

– Jalouse, quoi ! répondit Ménégon en haussant les épaules.

C'était sa façon à lui de répondre. On n'approfondissait guère, chez les garçons. Mais la question avait mordu Michel au cœur. Jalouse d'Annie, c'est ce qu'il avait d'abord cru, avant de deviner que c'était peut-être de Mme Fréville.

– Vous comprenez, nous ne sommes pas riches, son père est toujours sur les trains, je ne peux rien lui donner, que ma présence. Alors il faut que je tienne. C'est pour ça que j'ai besoin de mes petits réconforts, dit-elle un jour aux garçons, en leur faisant un bout de conduite le long du chemin de terre.

Lucette Fréville avait les cheveux aussi blonds que sa fille, plus blonds peut-être, mais déjà filés de blanc. Elle avait aussi de petites rides au coin des yeux. Elle était jeune et vieille en même temps, et cela les troublait bizarrement. Parfois, elle tombait dans des humeurs trop gaies et racontait des histoires un peu osées que les garçons, bien polis, faisaient semblant de trouver drôles.

En fait, ils les trouvaient drôles, mais cette nouvelle

attitude de Lucette les mettait dans une position d'adultes responsables, d'hommes d'expérience, et ils n'y étaient pas habitués.

Même Eusébio, le dragueur. Il voulait bien être le « grand frère » d'Annie, celui qui la rappelait à la nécessité de faire les devoirs, d'apprendre ses leçons. Mais voilà qu'en cet instant, il lui fallait plutôt être le protecteur viril et solide d'une femme un peu égarée. Tout cela était vertigineux. Il préférait se cantonner dans son rôle d'adolescent hâbleur. Du moins, c'est ce que croyait Michel Guévenec, que cela rassurait.

Les garçons obtinrent leur permission du dimanche.

– Annie, on va te faire un cadeau, alors ! déclara Michel.

– Un cadeau, dit Mme Fréville ? Attention, les garçons. Annie, cette princesse, va vous demander la lune.

– La lune, c'est trop facile ! répondit Annie avec hauteur. La lune, de nos jours, c'est à la portée de tous. Non, ce que je veux, moi, c'est le monde ! Le monde entier pour mes quinze ans !

– Chiche ! dit Alain Lambert. Pas de problème, ma vieille. Dans huit jours, on te dépose le monde sur les genoux.

Sur le chemin du retour, les gars discutaient du moyen de relever le défi.

– Je sais, dit Alain Lambert. On n'a qu'à lui acheter un atlas.

– Ou une mappemonde, poursuivit Johnny Morrissot.

– Pourquoi pas les deux ? fit Eusébio Ménégon.

– Je suis sûr qu'au Drugstore, on trouvera ça, reprit Johnny. Comme ça, le Zèbe, tu pourras nous présenter à ta minette, tu sais celle qui...

– Elle est plus revenue, dit Eusébio piteusement.

– Pas de pot, dit Alain Lambert, elle aurait peut-être pu nous avoir un prix, puisqu'elle était vendeuse.

– Elle était même pas vendeuse, confessa Eusébio.

– Mais t'avais dit...

Johnny Morrissot avait pris sa voix geignarde. Lui, la grande asperge pâlichonne, toujours dans l'ombre de son copain le conquérant, il ne se remettait pas de sa déception.

– C'était qu'une gamine de toute façon, rétorqua l'autre, elle m'intéresse plus.

– On s'en fout, dit Alain Lambert. Au moins, on pourra demander qu'ils nous passent le nouveau disque des Beatles. Le double disque tout blanc !

Michel ne dit rien. Il écoutait à peine. Il avait un plan. C'est comme ça, quand on a quelqu'un dans sa vie.

Chapitre onze

En sortant du train de banlieue qui l'amenait de Villeneuve, Michel sentit sa décision vaciller.

La nuit tombait sur la verrière de la gare de Lyon qu'il trouvait immense et, dans cette foule de gens qui attendaient un train les menant quelque part, il se sentait bien seul, bien jeune.

Il pensa à ses parents. A cette heure, ils devaient être attablés, en train de dîner. Ils ne s'inquiétaient pas. Ils le croyaient chez Alain Lambert en train de faire ses révisions. Il leur avait menti. Mais mentir pour une bonne cause, est-ce encore mentir?

Il jeta son sac marin sur l'épaule. Dedans, il y avait deux paquets de choco B.N. et une bouteille d'eau qu'il avait chapardés dans la cuisine, juste avant de partir. Dans ses poches, il avait un billet de cinquante francs, le montant de ses économies, plus vingt francs que son père lui avait donnés en lui souhaitant de bien s'amuser chez son copain.

Pour se donner du courage, Michel se mit à fredonner « Debout les gars faut y aller, il va falloir en mettre un coup... » et se dirigea vers le tableau des départs.

C'était bien comme l'avait raconté Annie. Le train de Marseille attendait le long de la voie huit. D'abord les luxueuses voitures bleues à filets jaunes de la Compagnie des wagons-lits, le wagon-restaurant avec les petites lampes roses sur les tables dressées pour le dîner puis les wagons verts plus modestes des secondes et des premières classes dont certains étaient installés en couchettes.

« C'est chouette sur la couchette du haut. Tu t'installes dans le réduit destiné aux bagages et personne ne te voit », avait dit Eusébio Ménégon.

Il fallait espérer que ce soit vrai.

Michel grimpa dans un wagon de seconde. Il chercha un compartiment déjà bien occupé. Dans le filet à bagages, son petit sac passerait inaperçu. Il s'accouda à la fenêtre.

En tête du train, il repéra les contrôleurs qui discutaient avec le mécanicien de la locomotive. Michel allait passer la nuit à jouer à cache-cache avec eux. Il les vit qui montaient en voiture. Il y eut l'annonce interminable des gares dans lesquelles le train s'arrêterait dont Orange, la ville après laquelle « tout est couleur de fruit et lumineux », disait Annie. Enfin, lentement, très lentement, il y eut les premiers tours de roue.

Ce fut bientôt la nuit de la banlieue, percée de milliers de lumières autour desquelles les familles étaient regroupées, ses parents, les parents d'Alain, ceux de Johnny ou d'Eusébio. Le train doubla Villeneuve à toute vitesse. Michel eut un pincement au cœur. Annie, si près, ne se doutait pas de ce qu'il était en train de faire.

Et puis, il y eut de moins en moins de lumières, le train s'éloignait de la grande ville, il roulait dans le noir.

Michel guettait la venue des contrôleurs, sacoche de cuir en bandoulière, casquette et composteur. « Messieurs dames ! Billets s'il vous plaît ! » Pour l'instant ne passaient dans le couloir que des voyageurs qui allaient au wagon-restaurant ou en revenaient.

Le train s'était arrêté à Sens, Laroche-Migennes. A présent il filait vers Dijon. A sa fenêtre, Michel bâilla. Il avait sommeil. « Marseille, ça commence comme la planète Mars. » Et c'était presque aussi loin. Il était pourtant trop tôt pour se cacher dans un compartiment couchettes. Les voyageurs ne dormaient pas encore.

Les voilà ! Là-bas, à l'extrémité du couloir ! Ils étaient trois. Michel les laissa avancer. Ils entrèrent dans le premier compartiment.

– Vos billets s'il vous plaît !

Ils ressortirent bientôt, un autre compartiment, puis le suivant.

« Tu es un enfant excité par son premier voyage en train de nuit ! Tu n'as pas peur. Tes parents sont un peu plus loin, dans le wagon d'à côté. » Michel se répétait son histoire. Il devait bien se convaincre de ses propres mensonges !

Dégagé, l'air tout joyeux, il alla vers les trois contrôleurs.

– Pardon !

Ceux-ci s'effacèrent pour laisser passer ce jeune voyageur qui se dirigeait vers les toilettes.

– Messieurs dames. Contrôle des billets, s'il vous plaît.

Michel poursuivit son chemin vers la partie du wagon déjà contrôlée.

De temps en temps, le train s'arrêtait dans des gares endormies. La voix des haut-parleurs résonnait dans la nuit. On entendait quelques bribes de paroles échangées par des voyageurs invisibles. Les freins se détendaient en grinçant, l'air chuintait dans les tuyaux du chauffage. Une porte claquait, des pas résonnaient sur le linoléum d'un couloir. Une porte qu'on ouvre puis qu'on repousse. La voix sinistre des haut-parleurs, un coup de sifflet venu de nulle part et, lentement, le train qui s'ébranle.

A son bracelet-montre, il était deux heures. Michel n'en pouvait plus de fatigue. Il n'en pouvait plus de jouer à cache-cache avec le danger. Sa vigilance l'avait épuisé. Il pensait à tout ce qu'il devait faire le lendemain. Il devait absolument dormir.

Il se dirigea vers les voitures-couchettes. Il poussa la porte d'un compartiment.

Des gens étaient allongés. Dans la lueur bleutée de la veilleuse, on aurait dit des morts. Ils respiraient pourtant. Il y en avait même un qui ronflait. Michel repéra la planque d'Eusébio Ménégon à l'extrémité de la couchette du haut. Elle était libre. Il grimpa à l'échelle. Sans bruit, sans bruit. C'est vrai, au-dessus de la porte du compartiment, il y avait un petit renfoncement destiné aux bagages.

Quand Eusébio avait dormi là, il devait être bien jeune car l'espace était terriblement restreint. Qu'importe ! Malgré l'inquiétude et l'inconfort, Michel s'endormit.

Chapitre douze

C'est dans un état proche de l'euphorie que Michel descendit du train. La fierté le saoulait. Il était à Marseille ! Oui, lui, Michel Guévenec, habitant Villeneuve, il était parvenu à voyager seul, sans billet et sans ennui. C'était facile !

Au sortir de la gare, le ciel et la blancheur de l'escalier majestueux qui prolongeait le parvis l'éblouirent. Il s'assit sur une marche. Il avait faim. C'était le moment d'entamer les biscuits.

Mastiquant ses B.N., Michel récapitulait son projet. Elle voulait le monde pour son anniversaire, les autres le lui offriraient sous la forme amoindrie d'un atlas et d'une mappemonde. Lui, il offrirait à la jeune fille, à Annie l'immobile, un peu de la destination de son train favori. Il offrirait un peu de Marseille à celle qui était dans sa vie.

Réconforté par ses B.N., Michel chercha à s'orienter. Une avenue descendait vers la ville. Drôle de gare posée sur une hauteur avec un nom de cathédrale, la gare Saint-Charles. Les voies, les rails ne vont pas plus loin, c'est un cul-de-sac. Michel suivit la foule qui descendait, descendait sans fin. Et voilà qu'on tombait dans la célèbre Canebière.

Il était au cœur de la ville. La Canebière ressemblait à Paris : un peu Champs-Élysées, un peu grands boulevards. Un Paris qui aurait eu des bus bleus et non pas verts, des immeubles un peu moins hauts peut-être, mais un Paris qui aurait dépoussiéré son ciel et y aurait mis un soleil deux fois moins économe de lumière. Michel ne se pressait pas. Le train de Paris, il l'avait vérifié à la gare, partait de Marseille Saint-Charles à dix-neuf heures cinquante-trois pour arriver à sept heures trois. Michel aurait le temps de sauter dans un train de banlieue, d'arriver à la maison et de se préparer pour le collège où, le jeudi, il n'avait cours qu'à onze heures.

Il était huit heures du matin, il faisait beau, il se

sentait en forme et il avait onze heures devant lui pour collectionner la ville.

« La Canebière, se dit-il, c'est bien, mais ça ne se rapporte pas dans un sac. » Il descendit en direction de la Bourse. Il traîna cours Belzunce, rue Saint-Ferréol et dans le vieux quartier du Panier qui, en ce temps-là, n'était pas encore restauré.

Là, il arriva quelque chose qui l'encouragea. Une odeur exotique lui piqua les narines. L'odeur s'exhalait d'une boutique plutôt obscure dont les étagères étaient encombrées de marchandises qu'il n'identifiait pas. Devant la boutique, un vieil Algérien au visage buriné était assis sur un pliant.

– Ti veux quelque chose ?

– Ça sent bon, dit Michel.

Le vieil homme hocha la tête, Michel se sentit en confiance.

– Je voudrais bien rapporter ces odeurs à mon amie, à Paris.

Le vieux n'eut pas l'air de trouver cette idée bizarre. Il s'en alla farfouiller dans sa boutique et lui rapporta un sachet qu'il ficela soigneusement. C'étaient des épices de son pays, pour faire la cuisine comme là-bas.

– C'est combien ? demanda Michel, un peu inquiet tout de même.

– Souvenir de l'Algérie pour ton amie, dit le vieux, ti paies pas.

Ce coup de chance en amena d'autres. C'était comme si le vieil homme, sphinx de la ville, lui avait ouvert les portes d'un domaine où il n'avait qu'à se pencher pour ramasser des trésors.

A midi, il avait dans son sac une plaque de la rue du Panier que par extraordinaire il avait trouvée dévissée et posée sur le sol contre le mur, une affiche qu'il avait fauchée sur une pile dans le dos du colleur d'affiches, une carte postale tombée d'un tourniquet, un rond de bock à bière qu'il avait « gardé » en souvenir (après avoir consommé et payé dans un café, sa plus coûteuse opération jusque-là), ce n'était déjà pas mal. Il avait dans l'idée de coller tous ces trésors le plus artistiquement possible sur un grand carton et de le faire encadrer. Maintenant il lui fallait du sable et de l'eau de mer.

La plage du Prado, c'était au diable. Il fallait prendre un bus, autre dépense, longer la promenade de la Corniche. La mer enfin ! En face il y avait des îles. Un guide qui accompagnait des touristes désignait l'une d'elles : le château d'If. La prison du comte de Monte-Cristo ! L'air de rien, il écouta le guide. Quand Annie lui parlerait de Conrad, il lui parlerait d'Alexandre Dumas.

Sur la plage, il remplit la bouteille dont il avait déjà bu le contenu pendant la matinée. Dans l'enveloppe de la carte postale, il mit du sable et colla soigneusement le revers. Il s'acheta un sandwich et, dans la foulée, une boule de plastique transparent au socle bleu. En agitant la boule, on voyait la neige tomber sur Notre-Dame-de-la-Garde. A ce moment-là, il se sentit très fort et incroyablement heureux.

Il reprit le bus jusqu'au centre. Il voulait maintenant voir le port. Croyant prendre au plus court, sans faire le détour par les quais du vieux port, il se perdit derrière l'Hôtel-Dieu. Après avoir erré un long moment, il dut demander son chemin. Il avait peur de s'adresser à des étrangers, peur d'être démasqué. Comme si, ayant dépassé le domaine du vieux sphinx, il ne se sentait plus en sécurité. Il commençait à avoir mal à la tête. Et soudain, il déboucha sur la gare maritime, le bassin de la Joliette, devant un énorme cargo en partance. Des hommes s'affairaient autour de l'échelle de coupée. Il avança, attiré comme par un aimant. Tout en haut, deux hommes en uniforme l'observaient. Chemisette blanche, épaulettes, casquette d'officier.

– Alors, moussaillon, tu embarques ?

Il eut l'impression que le sol se dérobait sous ses pas, comme s'il était déjà sur le pont, loin, en pleine mer, au milieu des vagues. Il tanguait.

– Hé, cria l'autre homme, le capitaine t'engage, réponds !

La passerelle n'était pas encore remontée. Les marins le regardaient aussi maintenant.

Michel pensa à Conrad. Il pensa à ses parents. Il se dit qu'il pouvait s'élancer et grimper sur la passerelle, là tout de suite. Il se dit que c'était le moment de son destin. Tout se passa très vite. Il recula, la passerelle remonta, on larguait les amarres.

Hébété, Michel regarda le gros bâtiment qui commençait à s'éloigner du quai. Le capitaine et son second avaient disparu. Il faisait chaud et lourd. L'eau noirâtre clapotait contre le quai. Son sac lui sciait l'épaule.

Plus tard, il se retrouva à la gare. Il ne savait plus comment il avait passé le reste de l'après-midi. Son mal de tête s'était un peu calmé, il n'avait plus qu'une idée, trouver son train, rentrer chez lui.

C'est en arrivant à Avignon qu'il eut affaire aux contrôleurs, deux types jeunes encore et l'air pas commode dans leur uniforme bleu.

Michel bredouilla que ses parents étaient un peu plus loin, installés dans un compartiment. Mais leur air soupçonneux, les étoiles sur leur casquette et la fatigue de la journée lui firent abandonner la partie. Non... Il n'avait pas de billet.

– Eh bien c'est du propre! On voyage à l'œil! Je parie que tu as fait une fugue! dit celui qui semblait être le chef.

– On n'a qu'à le descendre à la gare d'Avignon et là, le chef se débrouillera avec la police.

Ce dernier mot paniqua Michel. La police! Qu'allaient dire ses parents lorsqu'ils se verraient obligés d'aller chercher leur fiston au commissariat? Michel était effondré. Son aventure se terminait en cauchemar.

Et c'est un gamin penaud, encadré par deux contrôleurs (un repris de justice entre les gendarmes !) qui se retrouva sur le quai de la gare d'Avignon. A la tête du train, le mécanicien était descendu de sa machine prendre le frais. Il s'adressa à ses collègues :

– Alors, les gars ? On dirait que vous accompagnez un bagnard !

– C'est un gosse qui voyage sans billet, expliqua le plus grand. Sans doute un gamin qui a fait une fugue ! On l'amène au chef de gare.

– Une fugue ! Où tu habites ? demanda le mécanicien en souriant.

Michel s'accrocha à ce sourire comme un naufragé à sa bouée. Il lâcha toute son histoire d'une traite. Tout. Annie, son anniversaire, le cadeau qu'il voulait lui faire. Il sortit même de son sac de matelot la bouteille d'eau de mer, la boule de plastique bleu, le dessous de bock.

– Annie, la gamine malade qui habite Villeneuve ? demanda le mécanicien.

– Oui c'est elle ! Et moi aussi j'habite Villeneuve, haleta Michel.

Le mécanicien réfléchit un instant.

– C'est bon les gars. Laissez tomber. Je m'en occupe de ce gamin.

Les deux contrôleurs ne savaient que faire. Mais le mécanicien avait beaucoup d'autorité.

– Puisque tu le dis… Mais c'est toi qui es responsable. Nous, on veut pas le savoir. Si tu encourages les mômes dans leurs conneries…

Le mécanicien haussa les épaules. Des conneries ! Lui-même n'était pas beaucoup plus vieux lorsqu'il transportait dans son cartable des tracts et parfois même des armes pour son oncle et les gars de la Résistance Fer. Ce genre de « conneries » pouvait vous envoyer tout droit dans un camp de concentration nazi ou devant un peloton d'exécution.

– Et toi, le mioche, tu montes dans la cabine. Tu ne touches à rien, tu ne dis rien et je ne te vois pas !

Michel ne se fit pas prier. Une fois parti, le mécanicien (il s'appelait Roger), expliqua brièvement à Michel que cela intéressait le fonctionnement de la machine, une B.B. 9200. Mais les yeux du garçon papillotaient.

– Allonge-toi par terre et prends ma veste de cuir comme oreiller !

Et Michel s'endormit dans le bruit des compresseurs, bercé par le rythme un peu dur des boggies et le rappel régulier des signaux.

Arrivé à Paris gare de Lyon, le mécanicien le fit descendre.

– Je dis rien pour cette fois, seulement recommence pas, hein !

Mais quelque chose tourmentait Michel.

– Qu'est-ce qu'il y a, mon gars ?

– Le capitaine sur le cargo, vous vous rappelez...

– Oui, alors ?

– Je savais pas s'il se moquait de moi ou si c'était pour de vrai. C'est pour ça que je suis pas monté.

Roger se gratta l'oreille.

– Ce qu'il y a, dit-il, c'est que tu sais pas si tu es encore un môme ou si tu es déjà un homme. T'es entre deux, quoi.

Puis il ajouta brusquement :

– Je suis fier de toi.

Et il tendit sa grosse main à Michel qui la serra avec force. Dans la paume du mécano il y avait un billet, de quoi prendre le train pour Villeneuve.

Chapitre treize

– Et après ? dit Sonia.

Ses yeux à elle aussi papillotent, mais elle s'efforce de rester éveillée. Rien ne l'a autant intéressée depuis des années, semble-t-il.

Ils sont assis dans le noir, sur le petit perron. Le capitaine a allumé une cigarette et il l'a laissée tirer une bouffée, comme à un vieux compagnon.

– Après ? dit-elle.

La voix de sa fille l'a fait sursauter. Encore une fois, il a presque oublié sa présence. C'est à peine s'il se rend compte qu'il parle. Il erre à l'intérieur de lui-même, à travers ses souvenirs. Des détails affleurent, des pans entiers qu'il n'avait pas compris s'éclairent. Cet épisode de son adolescence s'était enlisé au fond de sa mémoire, s'était perdu dans les profondeurs du passé. Il l'avait oublié. Mais il est toujours là, intact, rayonnant d'une puissance insoupçonnée.

La maison près des rails a marqué le premier tournant de leur vie. Une petite maison de cheminot, avec son portail, son lilas blanc, le banc, la rampe près du perron, le papier à fleurs bleues... Il la voit sur la longue ligne du temps, posée comme un repère inamovible et maintenant, il y est revenu, il est à nouveau assis là, auprès d'une jeune fille qui est sa fille et il sent que, pour cette enfant-là, la maison n'a rien perdu de sa mystérieuse puissance.

Écroulée, abandonnée, envahie d'herbes et de détritus, habitée par les seuls oiseaux et d'occasionnels rôdeurs, elle peut encore susciter un infléchissement, marquer un tournant. Avant elle, après elle, plus rien n'avait été pareil, plus rien ne sera pareil.

Et maintenant, le capitaine hésite. Il a peur soudain. Il redoute d'aller trop loin, il connaît si peu les adolescentes d'aujourd'hui. Et si ces confidences à sa fille n'étaient que complaisance à l'égard de lui-même ? A retrouver ces souvenirs, il éprouve une émotion profonde, égoïste peut-être. L'histoire qui en émerge petit à petit sera-t-elle bonne pour Sonia ?

La maison des voyages lui fera-t-elle un don lumineux, comme elle l'a fait pour lui, ou un don de ténèbres comme cela s'est passé pour...

Sa gorge se noue.

Non, il ne peut le dire.

– Alors? Pas grand-chose, reprend-il.

Il y avait eu le brevet, avec plus ou moins de succès pour les garçons et puis, après le brevet, les vacances.

En septembre, Johnny Morrissot était entré au collège technique, Alain Lambert et Michel au lycée. Eusébio Ménégon avait commencé à travailler avec son père, l'entrepreneur en bâtiment. Ils se retrouvaient encore de temps en temps dans les rues de la cité mais ce n'était plus pareil. Chacun avait d'autres amis, fréquentait d'autres lieux. Ils n'empruntaient plus les mêmes chemins. Plus de petite bande, plus de détour par la maison d'Annie.

Michel s'était rendu quelquefois dans la maison en bordure de la voie ferrée. Il passait une heure ou deux en compagnie de la jeune fille. Il parlait du lycée, elle lui lisait des passages de Conrad. Pour passer le temps, il faisait neiger sur Notre-Dame-de-la-Garde.

Un jour, Annie annonça qu'elle allait déménager. Son père venait d'être muté en province. Michel, reposant la boule de plastique, avait pensé que c'était peut-être mieux comme ça.

Il y eut alors quelques lettres paresseuses, de plus en plus espacées jusqu'à ce que Michel oublie de répondre. Il s'en était un peu voulu, mais c'était trop tard. Les maisons qu'on n'habite plus se ruinent, de même l'amitié.

Assis à côté de sa fille, dans le silence et l'obscurité de ce lieu abandonné, le capitaine Michel Guévenec arpente les décombres de son quinzième printemps.

Il sourit un peu, tout de même. Comme il avait été fier, le jeune Michel, avec sa bouteille d'eau de mer, son enveloppe de sable, ses épices et sa boule en plastique ! En descendant la Canebière vers le port, il ne s'était pas douté qu'il avait rendez-vous avec les navires, son destin.

Annie avait voulu le monde et il avait prétendu le lui apporter. Maintenant, il sait que c'est elle qui le lui a donné. C'est elle qui l'a conduit devant la mer, devant les navires... Il lui doit son métier, sa vocation, sa vie.

– Et l'anniversaire, papa ?

Le capitaine sort de sa songerie.

– L'anniversaire ?

– Tu ne m'as pas raconté...

Sonia s'est comme raidie à côté de lui.

– Tu n'as pas raconté le plus important...

Il hésite. Mais il entend l'urgence dans la voix de sa fille, il se rappelle Roger le mécanicien qui avait su lui dire les paroles dont il avait besoin, lui, un gamin inconnu. Les paroles justes, au bon moment.

– Le jour de l'anniversaire, Sonia, j'ai apporté tous mes cadeaux. Annie m'a regardé... Ses yeux étaient comme la mer. Quand les autres ont été partis, je suis resté. Elle m'a attiré contre son fauteuil et alors... Alors elle m'a tendu ses lèvres... et nous nous sommes embrassés... C'était la première fois, la première fois que j'embrassais une fille, mon premier baiser.

Il s'interrompt un instant, attendant que sa voix redevienne plus ferme. Sonia se tait, elle attend avec impatience. Elle se sent très proche de son père, il n'y a plus de barrière entre eux, elle attend, simplement.

Elle sait qu'il y a autre chose, autre chose qu'il n'a pas dit. S'il ment maintenant, ce sera trop tard, à jamais.

– Sonia, se lance-t-il soudain, je ne veux pas que tu me juges mal. Je ne sais pas ce qui serait arrivé, si j'avais continué à la voir… Je ne sais pas si j'aurais épousé Annie, si cela aurait même été possible, mais je le voulais. C'était mon premier amour, j'avais de l'honneur, sa maladie ne me faisait pas peur, tu me crois?

– Je te crois, dit Sonia dans un souffle et il comprend qu'il peut lui faire confiance, totalement.

– Peu de temps après l'anniversaire, quelque chose est arrivé, quelque chose de terrible. Pour nous tous, les choses ne se sont pas passées comme je te l'ai raconté. Elles auraient dû se passer comme cela, banalement, mais…

– Je m'en doutais, murmure Sonia, je m'en doutais.

– Il y a eu une lettre anonyme, sans doute quelqu'un qui en voulait au père d'Eusébio, une rivalité dans le travail, pour un marché, c'est ce qu'on dit tes grands-parents. Je n'ai jamais su qui était l'auteur de cette lettre ni son contenu exact. Mais M. Fréville a cru ce qui était écrit, c'était un homme très malheureux, il adorait sa fille et, par la force des choses, il en était toujours éloigné. Il était obligé de faire toutes sortes d'heures supplémentaires pour payer les soins dont elle avait besoin et ceux qu'il prévoyait, surtout. Mme Fréville avait abandonné son travail pour rester avec Annie, cela avait dû être très dur, je m'en rends compte maintenant, c'était une femme très vive qui aimait la compagnie et l'activité. Mais ils s'étaient mis d'accord ainsi, tous les deux, et ils s'aimaient, je sais qu'ils s'aimaient.

– Oui, murmure Sonia, je crois que je comprends.

– Cette histoire avec Eusébio, reprend Michel Guévenec avec un tremblement dans sa voix, ce n'était rien. Rien pour elle, elle ne se rendait pas compte, sa douleur était si grande, elle absorbait toutes ses pensées. Elle faisait semblant d'être gaie, de rire, par amour pour Annie, mais Eusébio a cru que c'était pour lui aussi, cet amour. Mme Fréville, c'était quelque chose de trop immense pour lui. Il n'était qu'un enfant.

– Pauvre, pauvre Eusébio, dit Sonia.

– M. Fréville est allé chez les Ménégon. Il ne voulait pas troubler sa femme, il ne voulait pas non plus ennuyer les parents d'Eusébio, il n'y a pas eu de scène, rien de ce genre, cela aurait dû n'être qu'un tout petit incident. Mais Eusébio…

– Il n'a pas pu le supporter, n'est-ce pas ? dit Sonia.

– Il était impulsif, entier…

Le capitaine se tait, il a mal. Pourtant il sait que s'il est revenu si loin dans son enfance, dans cette maison, c'est pour accomplir ce qu'il avait été empêché de faire à l'époque, c'est pour saluer son ancien copain et lui dire son dernier adieu.

– Vas-y, papa, dis-le, ça te soulagera.

– On l'a retrouvé sur les rails, pendant la nuit, les jambes écrasées. Il est mort quelques jours après.

Le capitaine se tait à nouveau, puis reprend.

– C'était juste au début des grandes vacances. Mes parents, tes grands-parents, ne m'ont rien dit, ils m'ont expédié chez un cousin en Hollande, nous faisions du camping. A l'époque, on téléphonait peu, et le cousin avait des consignes. Il fallait me tenir éloigné du scandale. Je n'ai appris tout cela qu'en rentrant. M. Fréville avait obtenu un autre poste, très loin, ils avaient déjà déménagé. Plus tard, on a su que Mme Fréville avait sombré dans la dépression. Je n'ai plus jamais eu de nouvelles d'Annie. Mes parents m'ont envoyé dans un internat, en Normandie. Johnny, Alain et moi, on ne s'est pas écrit. Une sorte d'accord tacite, cette histoire nous avait causé un choc, nous n'étions pas assez forts pour y faire face.

Le capitaine regarde le lilas, si blanc et vivace dans la nuit.

– Après la rencontre avec Annie, après l'accident d'Eusébio, plus rien n'a été pareil pour nous. Le plus étrange, c'est Johnny. Il était un peu cancre, tu sais, un garçon mou et sans ambition apparemment, plutôt pusillanime. Eh bien, il est parvenu à faire des études et il s'est engagé dans une organisation humanitaire. Je l'ai su par hasard, il y a longtemps, en regardant un reportage à la télévision. Il était devenu le docteur Morrissot, un de ces french doctors capables de soigner sous les bombes. Alain, quant à lui, a fait de la biologie. Inattendu aussi, il n'était pas mauvais élève, mais il ne pensait qu'à bricoler ses maquettes. J'ai appris qu'il s'était spécialisé dans les maladies génétiques…

De nouveau, il se tait puis reprend :

– Tout ça c'est loin, Sonia, et cela a duré si peu de temps. Juste quelques semaines, noyées dans ce grand flou de l'adolescence. Mais…

– Oui ? dit Sonia.

– Attends, dit-il.

Il sort son portefeuille, cherche, et tire finalement une petite photo ancienne, très écornée, aux tons gris.

– Je n'étais même plus sûr de l'avoir encore. Regarde, c'est elle.

Le fauteuil roulant, le châle indien, le visage, à peine visible dans la lueur de la lune…

– Elle me ressemble, dit lentement Sonia.

– Ta maman lui ressemblait, dit Michel Guévenec. Peut-être que ma femme se devait de ressembler à Annie. Avant de connaître ta maman, j'ai eu beaucoup d'amies, beaucoup, mais je n'étais jamais satisfait, je ne savais pas pourquoi. J'étais devenu une sorte de play-boy. Tu sais ce qu'on raconte dans la marchande…

– Dans quoi ?

– Dans la marine marchande. Une femme dans chaque port… Des bêtises, parce qu'avec les rotations d'équipage on n'a même plus le temps de descendre à terre, enfin… Quand j'ai rencontré ta mère, j'ai su aussitôt que c'était arrivé, que cette jeune femme-là, je pourrais l'épouser. Voilà, nous nous sommes mariés… Et puis tu es née. La suite, tu la connais… C'est vrai que je n'en parle pas souvent. Ça m'est difficile. Je me dis que ce n'est pas la peine que, de toute façon, tu le sais. Mais je me trompe peut-être… Il faut que tu le saches, Sonia… Ta mère, je l'ai beaucoup aimée, très fort… Je l'aime encore et elle me manque à moi aussi, beaucoup. Voilà.

Sonia presse ses doigts sur ses yeux. Elle ne veut pas pleurer. Et, en cet instant précis, il lui semble sortir de l'enfance, clairement, enfin.

– Et Annie ? dit Sonia.

– Annie aussi, dit le capitaine. Grâce à toi je viens de comprendre que je continue de l'aimer à travers ta mère. Tu vois, il m'a fallu tout ce temps pour rattacher tous ces morceaux de ma vie ensemble.

– Alors maintenant, ça va aller mieux ? demande

Sonia, ne sachant pas très bien ce qu'elle entend par là, mais sûre enfin de toucher quelque chose de ferme et de solide.

– Ça va aller mieux, la rassure le capitaine.

Il tire une bouffée de sa cigarette, tâtonne de la main du côté de la rampe du perron, lève les yeux vers le lilas, tout blanc comme un fantôme au milieu des ombres du jardin. A cet instant, un train passe très vite en sifflant dans la nuit. Le père et la fille se regardent d'un même mouvement. Puis ils se lèvent. Main dans la main, ils vont vers la voiture.

A cette heure, les routes sont dégagées.

Les auteurs :

« Écrire à deux, c'est d'abord une grande bouffée d'enthousiasme, puis beaucoup de querelles, après quoi il se passe une chose curieuse : les personnages de l'histoire prennent le pas sur leurs auteurs. Inutile de vous disputer, semblent-ils dire, nous sommes ceci et cela, laissez-nous aller où nous voulons, vous n'y pouvez plus rien. Les auteurs, un peu éberlués, n'ont plus qu'à suivre. »

Achevé d'imprimer
en mai 1998
sur les presses de
l'Imprimerie Hérissey
à Évreux (Eure)

Loi n° 49-956 du 16 juillet 1949
sur les publications destinées à la jeunesse

N° d'imprimeur : 42823
Dépôt légal : mars 1998
1er dépôt légal dans la même collection : janvier 1997
ISBN 2-07-051982-1
Imprimé en France

86241